セロハンテープ

両面(りょうめん)テープ

じょうぎ

プッシュピン
紙(かみ)をかべなどにつけるとき、がびょうのような役目(やくめ)をするよ。紙(かみ)にあなをあけるときにもべんり。先(さき)がとがっているので、ゆびをさしてケガをしないように、ちゅういしよう。

油性(ゆせい)ペン

ゼムクリップ

気(き)をつけながらつかってね♪

グルーガン
いろいろなものを接着(せっちゃく)することができるピストルの形(かたち)をしたどうぐ。コンセントにつないで、ねつでスティックをとかしてつかう。あつくなるから、やけどをしないようにちゅういしよう。

授業でつかえる！
おもちゃを作ってせつめいしよう
① うごく！生きもののおもちゃ
監修：ささぼう

文研出版

授業でつかえる！おもちゃを作ってせつめいしよう

1巻「うごく！ 生きもののおもちゃ」

もくじ

- ▶ はじめに ………………………………… 4
- ▶ この本のつかい方 ……………………… 5
- ▶ 役に立つ 工作のわざ！ ……………… 6

元気に鳴く
ワンコップ ……………………… 8

紙コップからねこがあらわれる
ニャンコップおばけ …………… 12

ころんでもおき上がる
ゆらゆらうちゅう人 …………… 16

つんつん首がうごく
つっつきホース 20

じしゃくでうごく
のぼるテントウムシ 24

トコトコ走る
走りガメ 28

ういたりしずんだり
タコのエレベーター 32

はこの中から出てきたのは？
りゅうのびっくりばこ 36

〈この本にでてくるざいりょうについて〉　紙コップ（大）は、250ミリリットルのサイズ、
紙コップ（中）は、205ミリリットルのサイズ、
紙コップ（小）は、100ミリリットルのサイズです。

はじめに

みなさん、こんにちは！　ささぼうです！
この本を手にとってくれてありがとうございます。

ぼくはみぢかなものをつかって、いろいろなおもちゃを工作する動画をYouTubeにとうこうしています。みなさん、工作はすきですか？　ぼくは大すきです！　自分の手で切ったり、はったりをくりかえして、くろうしても完成したときはすごくうれしいですよね。
紙コップやストロー、ビニールぶくろなど、みぢかなものが、すてきなおもちゃにへんしん！　なにかを作り出すって、とてもワクワクしませんか？

この本には、みなさんが楽しく工作をするためのアイデアやヒントをいっぱいつめこみました。
たまには、失敗することもあるかもしれませんが、それも大切なことです。なんどもやり直して、自分の力ですてきな作品を作り上げていきましょう！
この巻の工作ではいろいろな生きものが、いろいろなうごきをします。モチーフの生きものは、イメージをふくらませて、みなさんのすきなもので作ってみてくださいね。そして、作り方や自分のアイデアを、家族や友だちにせつめいしてみましょう。おたがいにアイデアを出し合うことで、よりすばらしい作品になるかもしれませんよ。

さあ、じゅんびはいいですか？　さっそくはじめてみましょう！
　　　　　　　　　　　かがくらふとチャンネル　ささぼう

この本のつかい方

この本では、みぢかなざいりょうでできる、おもちゃの作り方をしょうかいしています。写真だけでなく、イラストと文でせつめいするページもあります。かんたんなので、まず作ってうごかしてみましょう。

6〜7ページ

工作がじょうずにできる4つのわざをしょうかいしています。

4つのわざをおぼえておくと、いろいろな工作でつかえるよ！

8〜39ページ　それぞれの工作についてしょうかいしています。

工作のざいりょうとどうぐが書いてあります。

おもちゃの作り方を、写真をつかってしょうかいしています。

完成したおもちゃの写真です。

おもちゃのあそび方がかいてあります。

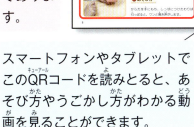

スマートフォンやタブレットでこのQRコードを読みとると、あそび方やうごかし方がわかる動画を見ることができます。

工作を作るときにつかう、わざの番号が書いてあります。

おもちゃの作り方をイラストと文でせつめいしています。

おもちゃのしくみなどについて、しょうかいしています。

※この動画はどなたでも視聴できます。動画は予告なく終了することがあります。
※QRコードは株式会社デンソーウェーブの登録商標です。

役に立つ 工作のわざ！

おぼえておくと、工作がじょうずにできるわざをしょうかいします。

1 紙コップにまっすぐな線を引く

紙コップなど、つつがたのものに線を引きたいときのうらわざです。ガムテープやビニールテープの上にえんぴつをおいて、先を紙コップにあてます。

えんぴつをおさえたまま紙コップを1しゅう回すと、まっすぐな線が引けます。

> 高いところに線を引きたいときは太いテープを、ひくいところに引きたいときは細いテープを使おう。2本かさねて高さをちょうせつすることもできるよ。

2 紙コップの底をぬく

紙コップの底のふちをはさみをつかって切っていきます。切りおえると、底の紙がはずれてつつのような形になります。

3 紙コップに8等分に切れこみを入れる

紙コップに8等分に切れこみを入れたいときは、ふちに目じるしをつけてから切ると、うまくいきます。右の写真のような順番で目じるしをつけていきます。①と②、③と④、⑤と⑥、⑦と⑧がちょうどはんたいがわになるようにします。

4 シールで顔を作る

丸いシールをつかって、生きものやキャラクターの顔を作ることができます。

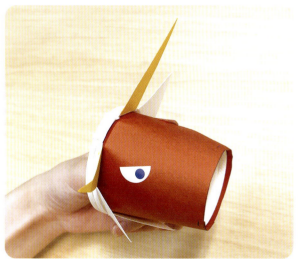

白いシールを白目に、緑色や青色のシールを目玉にして目が作れます。赤いシールで口を作ることができます。

白いシールを半分に切ると、するどい目になります。

元気に鳴く ワンコップ

ワンちゃんが
大きな声でワンと鳴くよ

ざいりょうとどうぐ

● ざいりょう

ゼムクリップ（1こ）、モール（1本）、紙コップ大（1こ）、紙コップ小（1こ）、角が四角いわりばし（1ぜん）、色画用紙（1まい）、丸シール（大2こ、小1こ）

● どうぐ

油性ペン、プッシュピン、えんぴつ、セロハンテープ、ビニールテープ、はさみ、両面テープ

紙コップは
すきな色にぬっても、
色つきのものを
つかってもいいよ。

あそび方

からだを手にもち、しっぽにつけたわりばしを引っぱると、ワンと鳴き声がします。

せつめい動画

作り方

1 ゼムクリップにモールのかたがわをまきつけて、とれないようにねじっておく。

2 紙コップ大の、底のまん中にプッシュピンであなをあける。あなにえんぴつのしんを通し、あなを広げる。

3 紙コップの内がわから、あなにモールを通す。セロハンテープでゼムクリップをコップの底にはりつける。

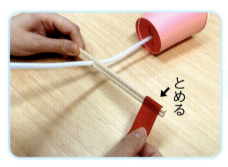  

4 わりばしでモールをはさんで両がわをテープでとめる。

5 モールの先でわを作る。

こうするとわりばしが、すぽんとぬけないよ。

しっぽをとりつけたところ

4のわざをつかうよ。

工作のわざ！

6 色画用紙を切って耳としたを作り、両面テープで紙コップ小にはる。丸シールで目を作る。

7 セロハンテープで顔とからだをつけて完成。

モールを引っぱると、大きな声がするよ。びっくり！

せつめいしてみよう

ワンコップ

紙コップとモールをつかって、元気よく鳴く犬のおもちゃができます。作り方をせつめいします。

作り方

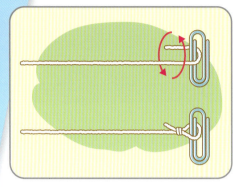

まず、しっぽになるぶぶんを作ります。ゼムクリップにモールのかたがわを引っかけます。さらにモールをぐるぐると回して、しっかりとまきつけます。

つぎに、犬のからだを作ります。大きい紙コップをすきな色でぬります。色をぬりおわったら、紙コップの底を上にして、まん中にプッシュピンであなをあけます。あながあいたら、えんぴつのしんを入れて回し、あなを広げます。

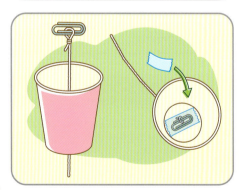

紙コップの内がわからあなにモールを通します。あなに通したらよく引っぱって、ゼムクリップがあなのいちに来るようにします。セロハンテープでとめます。

モールをわりばしではさみます。はさんだら、わりばしの両側をビニールテープでとめます。モールの先でわっかを作ります。こうすると、あそぶときに、わりばしがはずれなくなります。

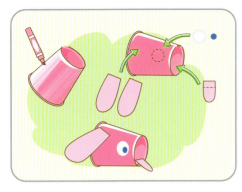

つぎに小さい紙コップで、顔のぶぶんを作ります。からだと同じように紙コップに色をぬります。画用紙で耳としたを作ります。それを両面テープで紙コップにはります。さいごに大きい丸シールと小さい丸シールをはって、目を作ります。

からだと顔をとりつけます。顔の紙コップのふちとからだの紙コップのふちを上と下の両がわからセロハンテープでとめます。

楽しみ方

犬のからだをもって、しっぽにつけたわりばしを引っぱると、ワンと鳴きます。音が鳴りにくくなったら、わりばしのいちをずらしてみると、またよく音が鳴ります。

どうして音が鳴るの？

音の正体は空気のしんどうだよ。モールのギザギザをわりばしでこするとしんどうが生まれ、紙コップにつたわって大きな音になるんだ。モールをほかのものにかえてみると、どんな音になるかな？ いろいろなものでためしてみよう。

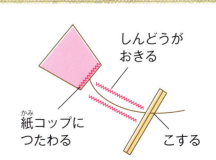

紙コップからねこがあらわれる
ニャンコップおばけ

ストローをふくと
ふくろがどんどん
ふくらんでねこに

ざいりょうとどうぐ

●ざいりょう
ビニールぶくろ（1まい）、まげられるストロー（1本）、紙コップ大（1こ）

●どうぐ
はさみ、油性ペン、セロハンテープ、プッシュピン、えんぴつ

紙コップの中にかくれていたねこがもくもくと出てくるのがおもしろい。

あそび方

ストローに息をふきこむと、ねこの絵があらわれます。あそびおわったら、ふくろをおして空気をぬき、紙コップの中にしまうと、またあそべます。

せつめい動画

作り方

1 はさみでビニールぶくろのもち手とひだを切りとる。

2 油性ペンをつかって、ビニールぶくろにねこの顔をかく。

3 ストローのまがる方を、ふくろの口ではさむ。おもてとうらからテープでとめる。

4 ふくろのはしをくしゅくしゅまとめてストローのまわりにぎゅっとよせ、すきまがないようにテープでとめる。

5 紙コップにプッシュピンであなをあけ、そこにえんぴつのしんをさしこんでまわし、あなを広げる。

プッシュピンをつかうときは、けがをしないように気をつけてね。

6 コップの内がわからあなにストローをさしこむ。

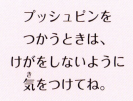

7 ねこをまるめて、紙コップの中にかくして完成。

せつめいしてみよう

ニャンコップおばけ

ビニールぶくろやストローなど、みぢかなざいりょうをつかってできる、ねこのおばけの作り方をせつめいします。

作り方

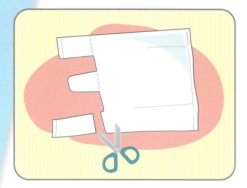

まず、ねこを作ります。はさみでビニールぶくろのもち手とひだを切ります。

油性ペンをつかってビニールぶくろにねこの顔をかきます。

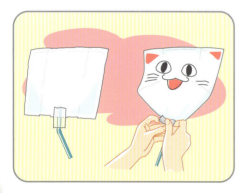

ビニールぶくろの口にストローのまがる方をはさみ、おもてとうらからセロハンテープでとめます。

ふくろのはしをくしゅくしゅまとめて、ストローのまわりにぎゅっとよせ、すきまがのこらないようにテープでとめます。

つぎにしかけを作ります。紙コップの下から3分の1くらいのところにプッシュピンをさしてあなをあけます。
小さなあながあいたら、そこにえんぴつのしんをさしこんで回し、あなを広げます。

14

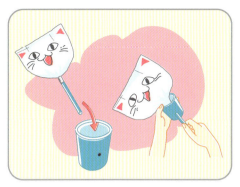

紙コップの内がわから、あなにストローをさしこんで、ねこと紙コップをつなぎます。

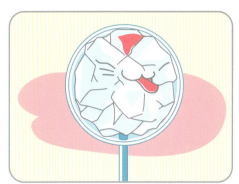

ねこをくしゃくしゃと丸めて、紙コップの中にかくれるようにしまいます。

楽しみ方

ふくろをかさぶくろにかえたり、ねこのかわりにほかの生きものやおばけ、すきなキャラクターの絵をかいてもいいです。

うすいビニールぶくろは、うらがえしてかどをおり、テープでとめるとやぶれにくくなります。

どうしてねこがでてくるの？

人間は鼻や口から空気をすったりはいたりして生きている。それが息だよ。空気はものすごくたくさんのつぶからできている。ストローから息をふきこむと、そのつぶがふくろにあたって、ふくろがふくらむんだ。ふくろを大きくすると、そのぶん、ふくらませるときにたくさんの息がひつようになるよ。

ころんでもおき上がる ゆらゆらうちゅう人

なんどもなんども
おき上がるうちゅう人の
おきあがりこぼしだよ

ざいりょうとどうぐ

● ざいりょう
カプセルトイのカプセル（1こ）、ビー玉大（2こ）、ラップ、プラスチックコップ（1こ）、紙コップ中（1こ）、丸シール（白大2まい、青小2まい、赤大1まい）

● どうぐ
えんぴつ、はさみ、けしごむ、セロハンテープ

ゆらゆらゆれる
ようすが
とってもかわいいよ。

あそび方

右へ左へ手でおしてたおすと、ゆらゆらしながらおき上がるよ。

せつめい動画

作り方

1 カプセルをばらし、色のついた方にビー玉を2こ入れる。とうめいの方にラップをかぶせる。

2 2つを合わせる。はみだしたラップはカプセルのまわりにくっつける。

> たおしたときにビー玉がカプセルの上に来ると、うまくおき上がらない。ラップをはることで、それをふせぐことができるんだ。

3 プラスチックのコップをさかさまにしてカプセルにかぶせる。

4 紙コップのよこにえんぴつで線を引く。コップのふちから線まで1センチメートルごとに直角に切れこみを入れる。

工作のわざ！ **1**のわざをつかうよ。

5 けしごむでえんぴつの線をけして、切れこみの方を下におく。上から紙コップをおして、切れこみを広げる。

6 シールをはって、うちゅう人の目と口を作る。

7 プラスチックコップの上に丸めたセロハンテープをはる。

8 **7**の上からうちゅう人をかぶせて完成。

せつめいしてみよう

ゆらゆらうちゅう人

たおしてもたおしても、おき上がる、ふしぎなうちゅう人のおもちゃの作り方をせつめいします。

作り方

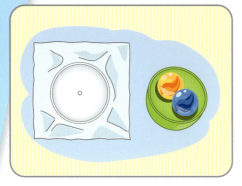

　まず、おもりを作ります。手のひらでカプセルをおしてばらします。色のついた方にビー玉を2つ入れます。とうめいの方にはラップをぴんとはって、かぶせます。

　ふたつを合わせます。カプセルをぎゅっとにぎって、はみだしたラップをカプセルのまわりにくっつけます。カプセルにプラスチックのコップをさかさまにしてかぶせます。

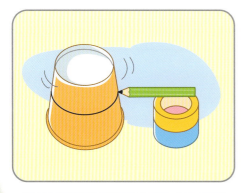

　つぎにうちゅう人を作ります。紙コップのまん中にえんぴつで線を引きます。ビニールテープの上にえんぴつをおいて、紙コップにあて、紙コップを回すと、きれいな線が引けます。

　コップのふちから線まで直角に切れこみを入れます。これが、うちゅう人の足になります。つづけて1センチメートルごとに同じように切れこみを入れます。切れこみを入れおわったら、えんぴつの線をけして、足を下におき、上からおして、足を広げます。

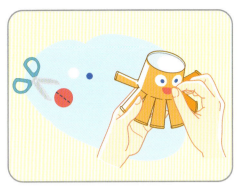

うちゅう人の顔をつくります。紙コップにシールをはって、うちゅう人の目と口を作ります。シールのかわりにペンでかきこむこともできます。

セロハンテープのわを作り、プラスチックコップの上にはります。その上にうちゅう人の紙コップをかぶせます。紙コップの底とセロハンテープをはりつけて完成です。

楽しみ方

ゆらゆらとゆらしても楽しいし、しゃげきのまとあてにしても楽しいです。

なぜ、たおれないの？

ちきゅうじょうでは、引力という、ものをちきゅうの中心に引きつける力がはたらいているよ。うちゅう人をたおすと、中のビー玉が上にもち上がるけれど、引力のはたらきによって、すぐに下にもどろうとする。だからうちゅう人はすぐにおき上がるんだ。このはたらきをりようしたおもちゃは、「おきあがりこぼし」といって、いろいろな形のものがあるよ。みんなもいろいろなおきあがりこぼしを作ってみよう。

つんつん首がうごく つっつきホース

前にうしろに
首が大きくうごく

ざいりょうとどうぐ

● ざいりょう
おかしのはこ（たて16センチメートル、よこ9センチメートル1こ）、シール（白大2まい、青小2まい）

● どうぐ
はさみ、ホチキス、両面テープ

おかしのはこと
シールだけで
作れるよ！

あそび方

しっぽを引いたりおしたりすると、首がうごきます。

せつめい動画

作り方

ふたのぶぶんはすてずにとっておこう。

3センチメートル　2センチメートル

1 おかしのはこをつぶして3センチメートルのはばのぶひんを3つ、2センチメートルのはばのぶひんを1つ作る。

2 3センチメートルはばのものを2つ、写真のように合わせてホチキスでとめる。

3 その下にもう1つ3センチメートルはばのものをホチキスでとめる。

もち手

4 3でつけたところをたたんで、ホチキスでとめる。これがもち手になる。

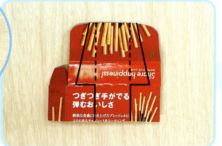

5 おかしのふたのぶぶんを――線のところで切って、……線のぶぶんをおって顔にする。

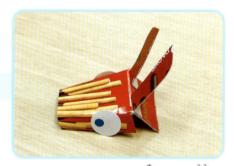

6 のこったぶぶんを切って、耳を作り、両面テープではる。丸シールをはって目をつける。

顔　しっぽ

7 顔をからだにはりつける。さらにふたの、のこりのぶぶんで、しっぽを作り、からだにはる。

8 2センチメートルはばに切ったものを半分に切って、両面テープでどうたいにはって足を作る。

9 写真のように足が台形になるように切って、完成。

せつめいしてみよう

つっつきホース

おかしのはことシールだけでできる、楽しいおもちゃの作り方をせつめいします。

作り方

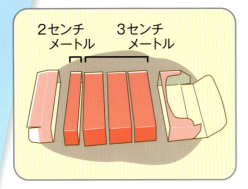

まず、おかしのはこをつぶして切り分けます。3センチメートルのはばのぶひんを3つ、2センチメートルのはばのぶひんを1つ作ります。

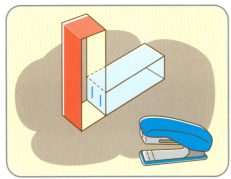

3センチメートルはばのぶひんは馬のからだになります。1つをよこむきにおきます。

そのとなりにもう1つ、3センチメートルのぶひんをたてにおき、はしを合わせて、かさなったところを2かしょホチキスでとめます。たてのぶぶんが首、よこのぶぶんがおなかになります。

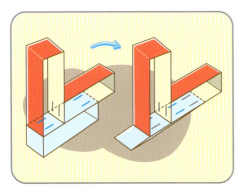

おなかの下にのこりの3センチメートルはばのぶひんをつけてホチキスでとめます。

下につけたぶひんをおりたたんで、ホチキスでとめます。これがもち手になります。

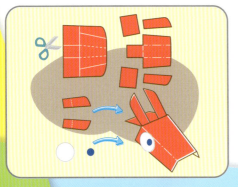

顔を作ります。おかしのふたのぶぶんを、イラストのように切っております。のこったぶぶんを耳の形に切りぬいて両面テープではります。丸シールをはって目にします。
色画用紙をすきな形に切って、顔を作ることもできます。

さらにふたの、のこりのぶぶんを切りぬいて、しっぽを作ります。顔としっぽをからだにはります。

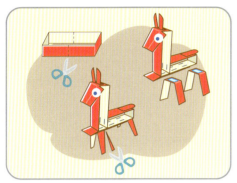

2センチメートルはばに切ったものをまん中で半分に切ります。これを両面テープでからだにはりつけて足にします。足にななめの切れこみを入れ、台形にすると、立つようになります。これで完成です。

楽しみ方

いろいろなおかしのはこをくふうして、もようのちがう馬をたくさん作ってみよう。

はねをつけたら鳥になる

足のかわりに、色画用紙で作った羽をはったら、鳥に早がわり。アイデアしだいで、いろんなどうぶつになるよ。くふうしてみよう。

じしゃくでうごく のぼるテントウムシ

木のみきを
ほんものみたいな
テントウムシがのぼりおりするよ

ざいりょうとどうぐ

● ざいりょう
半球スチロールボール（1こ）、フェライトじしゃく（1こ）、トイレットペーパーのしん（1本）、わりばし（2ぜん）、ネオジウムじしゃく（1こ）、ラップのしん（1本）、色画用紙（1まい）

● どうぐ
油性ペン、両面テープ、はさみ、ビニールテープ

のぼったりおりたり
くるっと回ったりして、
かわいいよ。

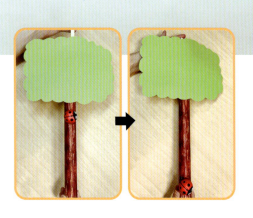

あそび方

じしゃくのついたわりばしを上や下にうごかしてみよう。わりばしのうごきにつられてテントウムシがのぼったりおりたりするよ。

せつめい動画

作り方

目やはねの点はシールをつけてもいいよ。

1 半球スチロールボールに油性ペンでテントウムシの顔をかく。うらに両面テープをつかってフェライトじしゃくをはる。

2 トイレットペーパーのしんをつぶしてよこに半分、たてに半分に切る。切り分けたうちの1つを**3**でつかう。

じしゃくには、引きあう力とはんぱつする力があるよ。テントウムシのじしゃくと、引きあう方がおもてになるようにとめよう。

3 わりばしをテープでつなぎあわせて、トイレットペーパーのしんを両面テープではりつける。ネオジウムじしゃくをはる。

4 ラップのしんに油性ペンで色をぬって木のみきを作る。色画用紙ではっぱを作り、両面テープではる。

じしゃくは、このへんかな？とさがしてみてね。

5 木にしかけを入れる。**3**を**4**で作った木の中に入れる。

6 木の中のしかけのじしゃくにテントウムシをとまらせて完成。

せつめいしてみよう

のぼるテントウムシ

かんたんなしかけで、テントウムシがのぼりおりするおもちゃの作り方をせつめいします。

作り方

まず、テントウムシを作ります。半球スチロールに油性ペンで色をぬって、テントウムシの顔をかきます。顔がかけたらうらにフェライトじしゃくをはります。

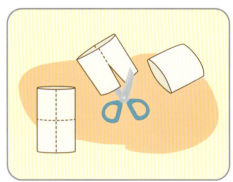

つぎにしかけを作ります。トイレットペーパーのしんをかるくつぶしてよこ半分に切ります。それをさらにたて半分に切ります。切り分けたうちの1つをつぎでつかいます。

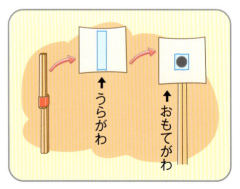

わりばし2ぜんをビニールテープではりあわせ、つなぎます。トイレットペーパーのしんのうらに両面テープをはって、わりばしにはりつけます。おもてがわにネオジムじしゃくをはります。このとき、テントウムシのじしゃくと引き合う面が、おもてになるようにちゅういします。

ラップのしんで、木のみきを作ります。油性ペンでしんに色をぬります。画用紙にはっぱの形をかいて、はさみで切りぬきます。ラップのしんに両面テープをはり、はっぱの形にした画用紙をはりつけます。

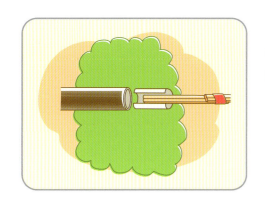

じしゃくをつけたわりばしを、ラップのしんで作った木のみきに通します。テントウムシを木のみきに近づけて、しかけのじしゃくと引き合うようにします。

ホンモノだ！！

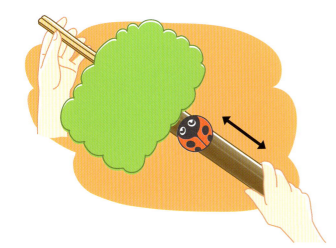

楽しみ方

わりばしで作ったしかけを少しずつ上下にうごかしたり、止めたりすると、まるでほんもののテントウムシみたいに見えるよ。

じしゃくのせいしつ

どのじしゃくにも、Nきょくとsきょくの2つがあるよ。2つのじしゃくの、同じきょくどうしを近づけると、はなれようとする力がおきる。だけどちがうきょくどうしを近づけると、たがいに引き合うんだ。このじしゃくのせいしつはいろいろなものにりようされているよ。みの回りでじしゃくをつかったせいひんがないかしらべてみよう。

同じきょくどうしだと、はなれようとする

ちがうきょくどうしだと、引き合う

トコトコ走る 走りガメ

走るのが
とくいな
カメのおもちゃ

ざいりょうとどうぐ

●ざいりょう
紙コップ中（2こ）、色画用紙、丸シール（白大2こ、青小2こ）、かんでんち単三形（1こ）、わゴム（3こ）、タコ糸、ゼムクリップ（1こ）

●どうぐ
えんぴつ、はさみ、セロハンテープ、油性ペン、プッシュピン

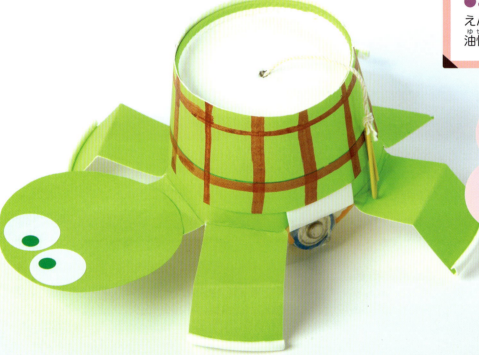

かんでんちをつかう工作だよ。かんでんちはでんきを出していて、じこのげんいんになることもある。りょうはしにセロハンテープをはっておくと、じこをふせげるよ。

● あそび方

タコ糸をうしろに引くと、中のでんちがくるくる回りカメがトコトコ走ります。

せつめい動画

作り方

1 1つの紙コップの半分によこ線を引く。ふちに8等分にしるしをつけ、よこ線まで切る。

2 8つのひだをおり、頭とまよこのひだのふちを切る。しっぽは三角形になるように切る。

3 色画用紙を丸く切りぬいてシールをはり、カメの顔を作ってからだにはる。

4 かんでんちにわゴムをかけて、上からセロハンテープでとめたら、うらがわと左右の両はしもテープでとめる。

5 タコ糸のはしを2回むすびつけ、セロハンテープでとめる。両はしにわゴムをまきつけてすべり止めにする。

6 もう1つの紙コップに**1**と同じように線を引き半分に切る。こうらのもようをかき、底をぬく。

7 カメのせなかのまん中にプッシュピンであなをあけ、うちがわから**5**のタコ糸を通す。糸の先にゼムクリップをむすぶ。

8 かんでんちにタコ糸をまきつける。りょうはしのわゴムをまよこのひだに引っかける。

9 わゴムを引っかけたひだをおりかえしてテープでとめる。こうらをかぶせて完成。

せつめいしてみよう

走りガメ

かんでんちが回る力をつかってすすむ、カメのおもちゃです。作り方をせつめいします。

作り方

１つの紙コップのまん中に目じるしの線を引きます。ガムテープの上にえんぴつをおき、紙コップを回すと線が引けます。ふちに８等分になるように目じるしをつけ、ふちから目じるしの線まで切れこみを入れてひだを作ります。ひだをおりかえします。

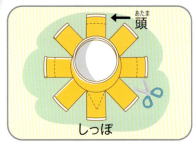

ひだのふちを１かしょ切ります。ここが頭になります。そのはんたいがわはしっぽになります。ここを三角形になるように切ります。さらにまよこのひだのふちも切ります。

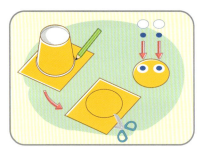

つぎにカメの顔をつくります。色画用紙に紙コップをおいて、そのまわりをえんぴつでなぞり円をかきます。切りぬいて、丸シールをはり、カメの目にします。これを頭のひだにはりつけます。

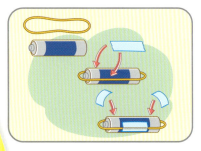

かんでんちにわゴムをかけます。わゴムをおおうように、セロハンテープをかんでんちにはりつけます。はんたいがわも同じようにはりつけます。さらにかんでんちの両はしを、セロハンテープで１しゅうまいてとめます。

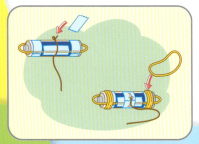

50センチメートルに切ったタコ糸をかんでんちに２回むすびつけてセロハンテープでとめます。かんでんちの両はしにわゴムをまきつけます。これはすべり止めになります。

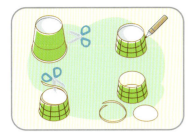

もう1つの紙コップのまん中に、はじめの紙コップと同じように線を引きます。この線にそってはさみで切ります。さらに同じほうほうで、なん本か線を引きます。これはこうらの線になります。たてにも線を引いて、こうらのもようを作ります。紙コップの底のふちを切って、底をぬきます。

カメのせなかのまん中にプッシュピンであなをあけます。あなにタコ糸を通します。通したタコ糸にゼムクリップをむすび、糸があなからぬけないようにします。

かんでんちにタコ糸をまきつけて、カメの紙コップのまん中におきます。かんでんちのよこに出ているわゴムを、まよこのひだに引っかけます。このひだをおりかえしてテープでとめます。

さいごに、こうらをかぶせて完成です。

楽しみ方 タコ糸を引いてはなすと、カメが走ります。
ほかの生きものにかえても、おもしろいです。

ゴムはなにからできているの？

ゴムのせいしつをいかしたおもちゃだよ。ゴムは力が加わると形をかえ、力をぬくと、もとにもどる「だんせい」というせいしつがあるんだ。ところで、ゴムはなにからできているか知っているかな？
ゴムには木から出る樹液をにつめてできる「天然ゴム」と、石油からできる「合成ゴム」があるんだ。ゴムはみの回りのいろいろなせいひんにつかわれているよ。しらべてみよう。

ゴムの木から樹液をあつめているところ。

ういたりしずんたり タコのエレベーター

タコが水の中を上下にただよう

フワフワ

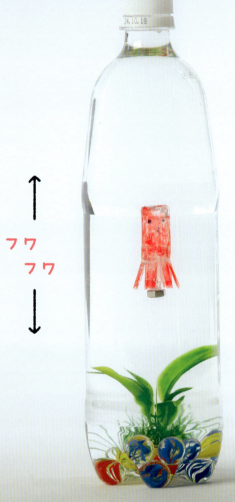

ざいりょうとどうぐ

●ざいりょう
たれびん（2こ）、ナット（1こ）、ペットボトル1リットル（1本）、草のかざり、ビー玉（おはじき）、水

●どうぐ
油性ペン、はさみ、とうめいのコップ

ビー玉やおはじきを入れると、キラキラしてきれい。おきものにしてもいいね。

🔘 あそび方

ペットボトルの両がわからゆびでおすとタコがしずみ、ゆびをはなすとタコがうき上がります。

せつめい動画

作り方

1 油性ペンでたれびんに色をぬる。たれびん1このふたをはずし、ナットをはめて回し、とりつける。

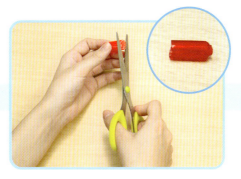

2 もう1このたれびんのほそいぶぶんと底を切る。

3 2の上から1センチメートルをのこして、8等分に切れこみを入れて足を作る。これがタコの足になる。

4 ナットをはめたたれびんに、タコの足をはめる。

5 タコの足のぶぶんを上におりかえして広げる。油性ペンでタコの顔をかく。

6 タコのからだをおして水をはったコップに入れ、水をすわせてコップにもどす。タコが底につかないように、水のりょうをちょうせつする。

7 ペットボトルにビー玉やおはじき、かざりの水草を入れる。

8 ペットボトルいっぱいに水をそそいで、タコを足から入れて、ふたをしめる。

> タコがぎりぎりうくようにするのがポイント。まずはからだの8分目くらいまで水を入れて、少しずつ出していくといいよ。

せつめいしてみよう

タコのエレベーター

ペットボトルをゆびでおしたり、はなしたりするだけで、のぼったりおりたりするふしぎなタコのおもちゃをせつめいします。

作り方

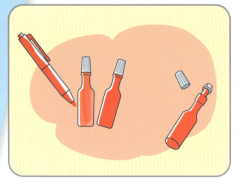

たれびんでタコを作ります。2つのたれびんに色をぬります。1つのたれびんのふたをはずしナットをはめます。回して、さかさまにしてもおちないようにとりつけます。

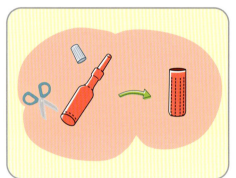

もう1つのたれびんのほそいぶぶんと底を切ります。それから8等分に切れこみを入れます。これがタコの足になります。

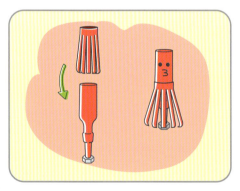

ナットをはめたたれびんに、タコの足をはめます。切れこみを上におりかえして、かるく広げます。つぎに油性ペンでタコの顔をかきます。

タコのからだをおして水をはったコップに入れ、水をすわせます。水をすったタコをいったんコップからとりだして、そのまま水に入れてみます。タコがしずんで底についてしまったら、かるくからだをおして水を2、3てき出し、また水に入れます。タコがぎりぎり底につかなくなるまで、これをくりかえします。

　ペットボトルにビー玉やおはじき、水草を入れて、かざりつけます。ペットボトルいっぱいに水をそそぎ、タコを入れてふたをしめたら完成です。

楽しみ方

　タコがしずまないときはタコの中の水のりょうをふやし、タコがうかないときは、水のりょうをへらすとうまくいきます。ペットボトルに油性ペンでかいそうや魚をかいたりしても楽しいです。

なぜ、ういたりしずんだりするの？

タコの中には空気が入っている。ペットボトルをおすと、タコの中の空気がちぢむ。空気がちぢむと、うく力も小さくなる。だから、タコはナットの重さにたえられなくなってしずむんだ。手をはなすと、空気がもとにもどるので、またうくんだよ。

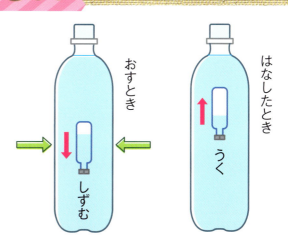

はこの中から出てきたのは？
りゅうのびっくりばこ

長い首のりゅうが
とびだす！

ざいりょう と どうぐ

● ざいりょう
ぎゅうにゅうパック1リットル（1こ）、わゴム（5こ）、紙コップ小（2こ）、色画用紙、丸シール（白大2こ、青小2こ）、りゅうを入れるはこ（1こ）

● どうぐ
カッターナイフ、油性ペン、じょうぎ、はさみ、セロハンテープ、両面テープ

バネのしくみを
つかった工作だよ。
みんなをびっくり
させてみよう。

あそび方

首についている5つのバネを広げておりたたみ、はこにしまいます。ふたをあけると、いきおいよくりゅうがとび出します。

せつめい動画

作り方

1 ぎゅうにゅうパックの底をカッターナイフで切る。3センチメートルはばに線を引き、線にそって6こに切る。

2 1にはさみで切れこみを入れ、わゴムを引っかける。これがバネになる。同じものを5こ作る。

3 のこりの1こを5.5センチメートルの長さに切る。先を広げて、両面テープをはり、下はセロハンテープでとめる。

先を広げる

工作のわざ！
2と3のわざをつかうよ。

4 1つの紙コップの底をぬく。8等分になるように目じるしをつけ、ふちのすれすれまで、切れこみを入れる。

5 もう1つの紙コップに色画用紙をはり、4をかさねる。切れこみを2かしょおりかえし、セロハンテープでとめる。

6 おりかえしたひだの両どなりを立てて、ななめに切り、色をぬる。これがりゅうのつのになる。

工作のわざ！
4のわざをつかうよ。

7 のこりのひだもおる。三角形になるように切り、ひげを作る。丸シールで目をつける。

8 2で作ったバネとバネをセロハンテープでとめてつなぎ、さいごに3をつなぐ。

9 3の先を顔の紙コップの底にはりあわせて完成。はこにしかけてあそぶ。

せつめいしてみよう

りゅうのびっくりばこ

バネのしくみをりようした、楽しいおもちゃの作り方を、せつめいします。

作り方

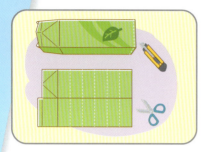

まず、バネのしくみを作ります。ぎゅうにゅうパックの底をカッターで切って、平たくつぶします。これを3センチメートルはばに切りわけて、6つのぶひんを作ります。

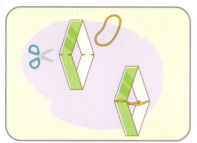

はさみで切れこみを入れて、わゴムを引っかけます。これがバネになります。同じものを5つ、作ります。

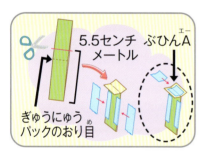

のこりの1こを、5.5センチメートルの長さに切ります。ぎゅうにゅうパックのおり目から先のぶぶんをのこして、セロハンテープではってとじます。先のぶぶんはおりかえして両面テープをはっておきます。これがぶひんAとなります。

1つの紙コップをさかさまにして、ふちを切り、底をぬきます。切り口に8等分になるようにしるしをつけ、底の方からふちのすれすれまで、切れこみを入れてひだにします。

もう1つの紙コップに色画用紙をはりつけます。切れこみを入れた紙コップを、その上にかさねます。切れこみを1かしょおりかえしてコップの内がわに入れ、テープでとめます。反対側もおりかえして、テープでとめます。

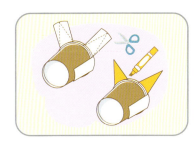

さいしょにおりかえしたひだの両どなりのひだを2かしょ立てて、ななめに切ります。これがりゅうのつのになります。色をぬります。

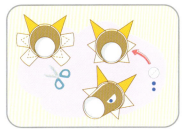

のこりのひだはひげになるぶぶんです。おりかえして小さな三角形になるように切ります。シールで目をつけます。

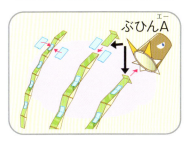

バネとバネをおもてうらのりょうがわからセロテープでとめてつなぎます。つなぎあわせたバネとぶひんAを、セロテープでとめてつなぎます。Aの先と顔の紙コップの底を両面テープではりあわせて完成です。

楽しみ方

作ったバネのぶぶんをひろげるようにして箱に入れると、ふたをあけたときにとびだすよ。バネは1つでもよくとぶよ。ちがう生きものの顔をつけてもいいね。

ダックスフンドだよ。

バネをつかったおもちゃ

バネというと、はりがねがぐるぐるまいているものをイメージするかな？ けれど、「力をくわえると形をかえて、力をとりのぞくと、もとにもどるもの」はどれもバネなんだ。右の写真はおり紙をおりたたんでできる、紙バネをつかったヨーヨーだよ。ほかにどんな工作があるか、しらべてみよう。

おり紙3まいをそれぞれ4等分にして、つなぎながらかさねておっていくよ。ボールのぶぶんは、クリアフォルダーを1.5センチメートルはばに切ったもの。

監修 ささぼう

1989年、東北生まれ。大学では環境学を専攻。卒業後、地元の科学館に学芸員として就職。主に小学生を対象とした工作教室やサイエンスショーの企画を多数手がける。2021年11月、科学工作・科学あそびを紹介するブログ「かがくらふと」を開設。2023年2月、同名YouTubeチャンネル「かがくらふと」を開設。科学をあそびとして発信する活動を行っている。

- 装丁・デザイン　ニシ工芸株式会社（塚野初美）
- イラスト　是村ゆかり
- 撮影　今福 克
- 写真　PIXTA
- 編集協力　ニシ工芸株式会社
　　　　　　（野口和恵、大石さえ子、猫野クロ、高瀬和也）

**授業でつかえる！
おもちゃを作ってせつめいしよう
全3巻**

① うごく！ 生きもののおもちゃ
② わくわく！ あそべるおもちゃ
③ びっくり！ とぶおもちゃ

全巻セット定価：10,560円
（本体 9,600円 + 税 10％）
ISBN978-4-580-88816-6

授業でつかえる！ おもちゃを作ってせつめいしよう
①うごく！ 生きもののおもちゃ　　ISBN978-4-580-82675-5
　　　　　　　　　　　　　　　　　　C8372 NDC759　40P　26.4×21.7cm

2024年9月30日　第1刷発行

監　修　ささぼう
発行者　佐藤諭史
発行所　文研出版
　　　　〒113-0023　東京都文京区向丘2丁目3番10号
　　　　〒543-0052　大阪府大阪市天王寺区大道4丁目3番25号
　　　　電話 (06) 6779-1531　児童書お問い合わせ (03) 3814-5187
　　　　https://www.shinko-keirin.co.jp/

印刷所／製本所　株式会社 太洋社

© 2024 BUNKEN SHUPPAN Printed in japan
万一不良本がありましたらお取替えいたします。
本書のコピー、スキャン、デジタル等の無断複製は、著作権法の例外を除いて禁じられています。本書を代行業者等の第三者に依頼してスキャンやデジタル化することは、たとえ個人や家庭内の利用であっても著作権法上認められていません。

おもちゃを作るとき あるとべんりな どうぐ

はさみ

ホチキス

ホチキスせんようのはりをつかうよ。はりがでるところに、ゆびをあててケガをしないようにちゅういしよう。

えんぴつ

けしごむ

カッターマット

カッターマットの上で切るときは、紙をしっかりおさえて、うごかないようにしよう。

カッター

するどい刃がついているから、つかうときは刃の下にゆびがいかないように、もち方をかんがえよう。紙を切るときは、カッターマットをつかうと、カッターの刃がすべりづらいので安全だし、つくえなどもきずつけないよ。